BRONISŁAWA OSTROWSKA
Kwiatki z bajki

Ilustrowała
Sylwia Kaczmarska

ZYSK I S-KA
WYDAWNICTWO

Niezapominajki

Niezapominajki
To są kwiatki z bajki!
Rosną nad potoczkiem,
Patrzą żabim oczkiem.

Gdy się jedzie łódką,
Śmieją się cichutko
I szepcą mi skromnie:
„Nie zapomnij o mnie!"

Bławatki

Słyszałam rozmaicie,
Jakie kto lubi kwiatki,
A ja — kocham bławatki,
Co rosną w naszym życie.

Tak to wesoło kwitnie,
Tak błękitnie! błękitnie!
Że gdy je widzę w mieście,
Myślę: w pole mnie weźcie!

Bez

Kwitnie wkoło tyle bzu!
„No, dziewczynki, chodźcie tu!
My będziemy zrywać sobie,
Wy szukajcie szczęścia obie".

„Mam pięć płatków!" „To się śmiej!"
„A ja siedem!" „To ja mniej!"
„Potrząśnijcie gałęziami!
Ach, co kwiecia ponad nami!"

„Jaki zapach! jaki cud!
Dość już, chłopcy! będzie w bród!
Dosyć! Drzewkiem już nie trzęście!
Czyż to wszystko nie jest — szczęście?"

Makówka

Makówka, makówka!
Kraśna moja główka,
Ale milszą będę,
Gdy kwiatka się zbędę.

Gdy słonko dogrzeje,
Gdy główka dojrzeje,
Oj, będzież radości
Dla maleńkich gości!

Tysiąc ziarnek we mnie
Nie zginie daremnie.
Setka na siew zleci,
Resztę zjedzą dzieci.

Wiśnia

Wiśnia aż się świeci!
Wróble owoc skubią.
Czy to tylko dzieci
Wiśnie zjadać lubią?

Dalejże do dzieła!
Przystawić drabinkę!
Zwinna Ewcia koszyk wzięła,
Krysia łyka ślinkę.

Owoc czarny, słodki,
Kraśny sok zeń leci.
Oblizują się jak kotki
Czekające dzieci.

„Łapże z brzegu który!"
„Ach, Jurku, łobuzie!"
Gradem lecą wiśnie z góry
W otworzone buzie.

Jagody

Poziomeczka różowa
Pod listkami się chowa,
A z poziomką w zawody
Idą czarne jagody.

„Na nas rosa się świeci!"
„Mnie więcej lubią dzieci!"
„Ja kwitnę całe lato!"
„A nas więcej jest za to!"

Na te wszystkie przymówki
Wtrąciły się borówki:
„Przeminiecie do zimy!
My choć liść zostawimy".

Orzechy

Orzechy laskowe, orzechy
W boru dojrzały!
Ach, co to będzie uciechy
Na dzionek cały!

W dół gnie się gościnna leszczyna —
Wszystkich zaprasza.
Kosz się zapełniać poczyna:
To zdobycz nasza.

Wracają dzieciaki aż miło,
W drodze swawolą.
Tak dużo orzechów było,
Aż — zęby bolą.

Grzyby

Widzę ja, dobrze widzę!
Radość dziś nie na niby:
Dziatwa idzie na grzyby,
Na prawdziwki i rydze!

Nie pogardzi się wcale
Kurkami ni maślakiem,
A i bedłki pod krzakiem
Wyzbiera się w zapale.

Chodzi Janek po lesie,
Znalazł grzyba-potwora!
Ewcia prawdziwka niesie,
A Krzysia — muchomora.

Ilustracja na okładce
Sylwia Kaczmarska

Redaktor prowadzący
Katarzyna Lajborek-Jarysz

Opracowanie techniczne
Barbara i Przemysław Kida

ISBN 978-83-7785-085-5

Zysk i S-ka Wydawnictwo
ul. Wielka 10, 61-774 Poznań
tel. 61 853 27 51, 61 853 27 67, faks 61 852 63 26
Dział handlowy, tel./faks 61 855 06 90
sklep@zysk.com.pl
www.zysk.com.pl